CW00420919

Sous mon Elle

Patrice Alloin

Sous mon Elle

Recueil

LE LYS BLEU
ÉDITIONS

Remerciements

Avec celle qui guide mes émotions et bien davantage, je partage ce recueil.

De sincères et amicales pensées à Marie qui a grandement participé à la réalisation des photos de ce recueil. Je la remercie vivement pour son talent et sa disponibilité.

Merci encore à la vie dont les expériences, même si elles sont parfois difficiles, nous aident à avancer sur notre chemin de lumière vers l'éternité.

Photos

Marie-Pierre Coquard
Sophie Martin
Patrice Alloin

Retour

Me voici bras en croix, refaisant quelques pas,
Je ne peux te quitter, trop envie d'être là,
Je tiens encore à la vie pour pouvoir un jour,
Être celui qui, seul, saura te faire la cour.

Ce poème que j'avais appelé « Le dernier »
Et qu'un soir de désespoir je t'avais confié,
Il ne tient qu'à toi une dernière fois de le lire,
De n'en garder que ce qui pourrait nous unir.

Si tu savais tout cet amour si grand, si pur
Dont mon âme chaque jour prend tant soin et épure,
Tu saurais en définir les lignes, les contours
Et tes pas vers moi seraient alors sans retour.

Aujourd'hui, même mes mots, je ne peux partager,
Pourtant ils sont là chaque instant pour me prouver,
À quel point, s'il était encore besoin, tu me plais
Et que près de toi je voudrais être à jamais.

Tu es dans ma vie, dans mon corps et chaque nuit,
Je t'invite dans mes rêves et t'emmène ébahie
Au-delà même du toit de notre humanité,
Pour te faire découvrir ce que j'ai pu changer.

Elle s'est enfuie cette tenace envie de mourir
Et a fait place au désir de pouvoir parcourir,
Avec toi cet espace d'amour à faire renaître,
Pour se poser et pouvoir enfin se repaître.

Plus besoin de fermer les yeux, je peux te voir.
Chaque instant une partie de toi, tel un pochoir,
Dessine en moi ta présence dans mon quotidien
Dans mes balades je peux même te prendre la main.

Tu es source inépuisable et je t'écrirai,
Bon nombre de poèmes que je déclamerai,
Qui ne sont rien d'autre que chacun des ressentis,
Qui me nourrissent chaque jour, en moi prennent vie.

Laisse la force de mes mots juste caresser ton âme,
Qu'ils puissent lui parler et lui dire, oh tendre Dame,
Combien chaque jour je nourris ce bel espoir :
À la table de mes sentiments te recevoir.

Je t'attendrai car j'ai toute ma vie pour cela,
Je reste à l'écoute et saurai ouvrir mes bras
Pour t'accueillir, tu seras ma reine de Saba,
Au royaume de l'amour et je serai ton roi.

Le temps

Mais qu'il est long ce temps qui coule si lentement
Pendant que je me perds dans ce rêve étonnant
À prendre la main de ma bien-aimée et marcher
Pour chercher le bonheur que nous saurons trouver.

À coup sûr il ne doit pas être très loin pourtant.
Dans ma maison où je suis seul, je l'ai ce temps,
Il me prend, il m'obsède, et ça au quotidien
Je le subis, sans pouvoir lutter, il me tient.

Il s'est aussi ouvert à moi, pour me permettre
De revisiter cent fois notre histoire et être
Au fait de tout ce qui a pu la faire mourir.
Mais est-elle morte, fait-elle juste semblant de dormir ?

Le temps m'apportera peut-être la bonne réponse
Mais c'est encore lui qui est vif comme une ronce.
Me lâchera-t-il un jour pour être l'être aimé ?
M'offrira-t-il ma dulcinée toute retrouvée ?

Pour l'instant je le passe ce temps, juste à compter
Les minutes, heures, jours, semaines, les mois à passer
Avant qu'il nous accorde enfin un beau sourire
Et me donne d'autres envies que celle de périr.

Tu es là, immuable depuis la nuit des temps,
Tu as marqué l'univers depuis si longtemps,
Tu as tout vu, as suivi toutes évolutions,
A vu naître la terre tout comme sa révolution.

Les milliards d'années passées n'ont pas de raison
De te remettre en cause, prévoir ton oraison.
Seul Dieu dans sa grande magnificence te l'accorde,
Alors tu peux défiler, déclamer ton ode.

Aujourd'hui je t'implore et mon cœur te demande
De vouloir t'arrêter avant que je me rende,
Revenir en arrière, chercher l'instant voulu
Où je pourrais vivre ma vie et être entendu.

Dès lors je serais heureux aux bras de ma belle,
Je ne l'attendrai plus et vivrai tout contre elle
Ce bonheur magnifique, partagé et vivant
Et là je pourrais enfin rendre le temps au temps.

Chagrin

À toi mon amour, à toi ma douce bien-aimée,
J'offre mes pleurs, toi qui hier m'a ignoré.
Mon chagrin est à hauteur de mes sentiments
Déjà immenses ils sont devenus forts, si grands.

Quand je t'ai vue entrer, mon cœur a explosé,
Depuis des mois déjà que tu veux me quitter.
Je ne veux plus me résoudre à vouloir partir
Car je pense que tous deux on pourrait se nourrir.

Hier tu étais magnifique parmi nous tous,
Une somptueuse reine avec sa chevelure rousse.
J'aurais tellement aimé être le seul sujet
Et toi le seul verbe pour conjuguer au parfait.

Je te prie d'exaucer ma prière du moment,
Que je puisse t'approcher, te parler simplement,
Exister et vivre parmi tous les autres comme toi,
Pour que je puisse renaître d'espoir juste pour moi.

Le temps donné au temps pourra bien sûr me permettre
De revisiter notre courte histoire et être,
Pour comprendre où nous nous sommes tous deux égarés
Dans les méandres d'une vie qui nous a échappé.

Je nous souhaite de revivre les instants les meilleurs
Pour que notre chemin nous mène alors bien ailleurs
Reprendre où notre vie s'est arrêtée enfin
Et pouvoir me défaire de ce trop lourd chagrin.

Voyage

Dans ce train qui te mène aux sources de ta vie,
Ferme les yeux et regarde avec envie,
Le résultat de tes expériences vécues
Qui t'ont portée parfois en terre inconnue,
Pour qu'il soit à jamais écrit dans le livre
De ton quotidien qui te donne à vivre.

Sois

Je t'accueille aujourd'hui dans ma demeure,
Tu peux te sentir en sécurité à toute heure.
Je te reçois mais si je ne peux porter ta peine
Je peux être présent et t'accompagner quand même.
Je saurai peut-être trouver les mots, en conscience,
Qui t'aideront à mettre le mot fin à ton expérience.
Elle devait être pour que tu puisses t'enrichir
De nouvelles données qui t'aideront à choisir.
Je sais une part de toi que tu ne connais pas en cœur
Qui découverte te conduira vers ton profond bonheur

Crabe rose

Quand serre ce mal violent, à vous faire souffrir,
Quand cette forme d'injustice s'acharne à vous nourrir
Quand vous sentez diminuer en vous la femme,
Battez-vous toujours, que vive encore votre flamme.

Non contentes d'être femmes, vous êtes aussi des mères
Si parfois le sort s'acharne et vous laisse amères,
Ne pleurez jamais d'avoir pu donner la vie,
Regardez ces enfants que vous avez nourris.

Souriez, vous serez toujours de belles amantes,
Pour votre compagnon vous resterez aimantes,
Jamais vous ne vous sentirez diminuées,
Rien, personne ne vous privera de votre beauté.

Il n'est plus besoin de prouver la force des femmes,
Et encore moins cet évident supplément d'âme,
Filles, Femmes, Mères, vous êtes toujours présentes en
nos cœurs
Soyez fières de savoir nous offrir le meilleur.

Le chemin

Comme l'absence est venue bien tôt dans notre histoire,
Tous ces manques chaque jour qui me font veiller tard,
Toutes ces nuits d'insomnie où sans cesse je revis
Notre amour qui, trop jeune, profond s'est endormi.

Il me reste tout le temps, celui d'une fin de vie,
Pour entendre quelques mots qui suscitent mon envie,
De retrouver l'espoir de poursuivre mon chemin,
Te regardant marcher tout en tenant ta main.

Aujourd'hui je suis rempli de tant d'autres choses,
Pensées, nature, énergie et beaucoup de prose,
Qu'à chaque instant que ce soit la nuit ou le jour,
Je pourrais t'embrasser de tous ces chants d'amour.

Je saurai aussi bien jamais plus te faire peur
Que de prendre le temps de t'accompagner ailleurs,
Te faire découvrir plus de mille et une contrées
Pour qu'enfin tu me connaisses comme l'être à aimer

Je saurai te conduire sur des terres ignorées,
Où d'autres parfums tu pourras t'enivrer,
Moi qui te connais si bien sans que je m'en blâme,
Je te ferai découvrir toute ta grandeur d'âme.

Ta beauté n'a d'égal que ta grande efficience,
Je sais tout le long chemin depuis ton enfance,
Aujourd'hui tu as découvert la femme entière
Que tu peux devenir sans penser à hier.

J'ai appris la patience et toute son évidence,
Accorde-moi de pouvoir goûter ta confiance,
Pour que jamais plus je manque de ta bienveillance
Et que je ressente les douleurs de ton absence.

Punition

Combien de temps devrais-je encore subir tes foudres,
Cette punition terrible ne pourra rien résoudre.
Ce que tu m'infliges va au-delà du possible,
Je prends chaque jour tes coups sur mon dos fragile.

Ce dos tant fatigué ne s'arrête plus de hurler,
Ces cris de douleur tu ne peux les écouter,
Tes yeux et oreilles ont décidé d'être clos,
Alors peu d'espoir que je retrouve le repos.

Je méritais peut-être bien d'être sanctionné
Pour tous mes actes désespérés de cet été
Je te devine blessée au plus profond de toi,
Rien à mon cœur ne peut m'échapper de toi.

Je te devine en colère et me maudissant
Pour avoir reçu gestes et peut-être mots blessants
Pour autant ces intentions n'étaient pas les miennes
Seules guidées par ce grand désespoir noyé de peines.

Ensemble, nous deux, nous aurions sans doute échangé
Sans tous ces tiers qui se sont bien aventurés
À penser ce qui était nos justes vérités,
Mea culpa, j'ai cru pouvoir la leur confier.

Aujourd'hui tu m'ignores, cela quelle que soit l'heure,
Et moi pour subsister je t'accompagne encore :
Le soir je te souhaite une belle douce nuit et t'invite
À me rejoindre là-haut où tu sais et lévite.

Les nuits passées ailleurs en dehors de nos corps
Ne remplaceront jamais ta présence en or,
Ces instants partagés, moments où l'on s'aimait
Qui pourraient s'enrichir de tout ce que l'on sait.

À genoux, bras en croix, dans les yeux je t'implore,
Je te demande de tenir compte de ma douleur,
De m'accorder de nouveau le droit de parler
Pour t'exprimer tout ce que j'ai bien dû garder.

Tu m'as demandé ce silence si je t'aimais,
Alors pour te le prouver je l'ai vraiment fait.
Il me coûte, bien sûr, de ne pouvoir te faire part
De la vérité entendue dès notre départ

Je t'avais promis une sincérité sans faille
Existe-t-elle encore pour toi où que tu ailles ?
Regarde-la, regarde-moi, sois sûr enfin
Que je saurais voler pour être ton Séraphin

Je t'attends pour que je puisse enfin te donner,
Tous ces mots apaisants qui pourraient redorer
La seule vérité que tu n'as pas toujours sue
Qui a fait de moi le banni près de ta rue.

Mes mots

Mes mots sont le prolongement de mes mains
Reçois chacun d'eux comme une caresse
Laisse-toi porter dans cette écoute sans faim
Pour qu'à jamais tu me ressentes en liesse.

Lumière

Il est gris ce temps qui nous donne la pluie
Et qui, pour autant, offre à toute nature la vie.
Nous faut-il nous, absolument vivre dans la grisaille
Pour donner force à nos épousailles ?
L'ombre n'existe que parce que la lumière est,
Sortons de cette ombre, soyons illuminés de vrai.

Chant d'amour

Dis-moi, vraiment, pourquoi
Tu m'as laissé comme ça ?
Après m'avoir donné de si belles choses
Et puis rempli mon cœur de tant de roses.
Me voilà dans ce bien triste état,
Mon cœur perdu ne rêve plus que de toi,
Pardonne-moi pour chacune de mes fautes
Et reviens-moi, je serai ton apôtre.

Reviens-moi ma douceur mon amour,
Garde-moi toujours bien contre toi,
Je serai là fidèle comme promis
Si tu veux bien que je partage ta vie.

Et là que vas-tu faire,
Me laisser en enfer ?
Accorde-moi cette dernière chance
Pour que ma main retrouve ta confiance.
Nous pourrons marcher tous les deux
Et tu verras nous vivrons même vieux,
Nos cœurs vivants pourront s'abandonner
À l'unisson ils sauront même s'aimer.

Reviens-moi ma douceur mon amour,
Garde-moi toujours bien contre toi,
Je serai là fidèle comme promis
Si tu veux bien que je partage ta vie.

Laisse-moi te parler,
Laisse-toi m'écouter,
Accorde-moi cette dernière danse
Pour que nos vies ne soient que bienveillance.
Nous vivrons les délices d'Éden,
Tu seras là pour moi comme une reine,
Nous écrirons nos pages chaque bonjour
Dans un écrin protégerons notre amour.

Reviens-moi ma douceur mon amour,
Garde-moi toujours bien contre toi,
Je serai là fidèle comme promis
Si tu veux bien que je partage ta vie,
Si tu veux bien que nous vivions notre vie.

Les mots sur les maux

Si souvent je souffre et sans être des demi-maux
Ce sont des douleurs qui n'espèrent que tes mots.
Tant de fois mon corps entier s'est mis à hurler
Espérant tes caresses pour pouvoir l'apaiser.

Il nous tarde tant mon corps, mon esprit, mon âme,
De t'entendre nous caresser toi notre belle Dame,
Pour sentir ces maux se dissiper aussitôt
Que du bout de tes lèvres tu nous rendes mots pour maux.

Ces maux se nourrissent à la source de ton absence,
Ils sont gras, ils sont gros et tendent vers l'opulence,
Me dévorent peu à peu, ce n'est plus un mystère,
Viens à mon secours retire-moi de cet enfer.

Sois ces mots qui pourraient me donner cette envie,
D'ameublir et retourner les champs de ma vie
Qui, parsemés de mille fleurs, pourraient me permettre
De trouver le bouquet qui me ferait renaître.

Dans tes bras alors je pourrais m'abandonner,
Tirades et sérénades je pourrais te chanter.
Viens mon amour regarde un peu ce que je suis,
Donne-moi une chance je te promets d'être tout ouïe.

Je me plairais presque à savoir toutes mes douleurs,
Si je savais ce que tu pouvais juste quelques heures,
Enfin venir à mon chevet et de tes mains
Soulager mon corps pour que mon cœur soit le tien.

Rappelle-toi encore tout ce que nous nous sommes dit,
L'espoir que tu m'as donné contre cette maladie,
Ces soutiens que tu m'as offerts comme des émaux.
Que bruissent à mon oreille ces mots qui soignent mes maux.

Être

Les pensées les plus pures n'ont pas de raison d'être,
Elles sont là, juste dans la profondeur de l'être,
Qui exprime souvent, touché sans vouloir l'être,
Mille et une choses que son cœur vit sans être.

Le temps

J'ai appris le temps, j'ai appris à attendre.
Chaque jour qui passe me rapproche de la vérité.
À moi de mettre en œuvre tout ce qu'il me faut entendre,
Pour que ce temps ne soit que quelques secondes d'éternité.

Lever

Aujourd'hui je me suis levé de bonheur,
Je voulais juste ressentir dans mon cœur,
Tout ce qu'il renferme, temps à donner, temps à offrir,
Découvrir une belle âme qui voudrait bien l'accueillir.

Lueur d'espoir

Un bonheur, je ne savais plus ce que c'était,
Il est arrivé tôt ce matin par message.
Depuis si longtemps prostré que je l'attendais,
Il est venu tout dans mon cœur rester si sage.

Et si mon rêve me portait comme une douce caresse,
Alors je m'élèverai tel un bel oiseau,
Montant tout là-haut et côtoyant même l'ivresse
De ces hauts sommets que l'amour rend juste si beaux.

Mille pensées traversent alors mon corps, mon esprit,
Mais ma raison me calme et il est bien prudent,
Que je lui fasse confiance car elle n'a pas de prix,
Elle sait la douleur vécue beaucoup trop longtemps.

Je me laisse aller en pensant là que ce soir,
Juste une de tes bises sera pour moi un baiser,
Malgré le temps passé je te dirai bonsoir
Autrement que dans mes pensées, toi mon aimée.

C'est un bonheur que de pouvoir te retrouver,
Depuis si longtemps que j'ai appris la patience,
Que je suis resté sans pouvoir m'exprimer,
Il me tarde de savoir respirer ta présence.

Doucement laisse-moi te parler que tu saches,
Ce bonheur qu'à chaque instant je veux partager,
Que je sais toutes mes fautes et surtout celles qui gâchent,
Te les faire oublier, dans mon cœur te porter.

Offre-moi ce temps, maintes journées d'éternité,
Pour que nous puissions regarder notre histoire
Et tous les points que nous n'avons pas su gérer,
Pour qu'enfin nous partagions notre instant de gloire

Aujourd'hui je porte haut les valeurs de l'espoir
Car sans lui je me serais perdu dans l'oubli.
Si parfois j'ai douté, c'était par désespoir,
Aujourd'hui je sais que je lui dois toute ma vie.

Le bonheur

Mais qui es-tu toi le bonheur, on se connaît ?
Il ne me semble pas t'avoir déjà croisé,
Ou alors c'était il y a longtemps, jamais ?
Je ne m'en rappelle plus, on s'est séparé ?

Hier lors d'une soirée, on m'a parlé de toi.
Tu me paraissais agréable mais comment faire ?
Je vis un grand chagrin d'amour et je me noie.
Toi le bonheur tu saurais me tirer d'affaire ?

Tu vas me dire, toutes ces questions que je te pose.
C'est sans cesse que mes pensées vont vers mon aimée,
Et pourtant j'aurais tellement besoin d'une pause
Pour que je m'accorde encore le droit d'exister.

Je veux bien t'accueillir et encore pouvoir croire
Que si tu me guides, je pourrais même t'accorder,
Un quelconque crédit pour effacer mon noir
Mais ne me trahis pas, ce serait me tuer.

Alors viens là, dis-moi que tu peux transformer
Toute ma vie, que tu seras me faire découvrir
Que je peux encore vivre en me laissant porter,
De tant de belles choses qui sauront me nourrir.

Tous ces petits moments que tu saurais m'offrir,
Je les mettrai en place pour me redonner vie,
En sachant qu'il existe autre chose que mourir
Pour pallier l'absence qui efface toutes mes envies.

Je veux bien te croire mais redonne-moi l'espoir,
Donne-moi la main, ne me lâche plus, guide-moi
Vers des desseins audacieux qui me feront voir,
Que je peux à chaque instant me remplir de toi.

Alors je pourrai peut-être caresser l'envie
Et croire encore que mon bel amour n'est pas mort
Que toi le bonheur tu m'auras redonné vie
Qu'en te voyant chaque jour, j'étais devenu fort.

C'est bien que tu m'auras donné toute l'énergie
De me battre et de laisser encore plus de place
Pour que toi mon bonheur je t'accueille enhardi
Qu'à ma dulcinée j'ouvre mon cœur plein d'audace.

Accepter

Comment voulez-vous que j'accepte l'inacceptable ?
De toutes ces douleurs dont certaines inavouables,
Qui me font revivre notre histoire sans ménagement,
Qui me poursuivent nuit et jour indéfiniment.

Je bénirai le ciel pour que cela s'apaise,
Je prierai le ciel pour que revive cette braise,
Celle qui pendant un temps avait su nous donner
Ces grandes ailes qui nous ont permis de voler.

L'amour de ces instants j'avais su accueillir,
Bien que chahuté, il m'avait fait tressaillir,
Donné la force de pouvoir me garder en vie
Et rester près de toi pour croquer nos envies.

Je ne peux me résoudre et mettre le mot fin,
Sur notre histoire qui nous a portés tellement loin.
Chaque jour je la revis et la continue,
Souhaitant que l'éphémère entre nous ne soit plus.

Même si notre conte dans le temps fut assez court,
Il m'a marqué sans définir tous les contours
De cet amour qui profondément m'a touché
Et me laisse, toi partie, pleinement dévasté.

Aujourd'hui je suis seul à pouvoir partager
Et coucher par des mots toute cette intensité,
Sur quelques parchemins en espérant peut-être,
Qu'entre tes mains ils prennent vie et nous fassent renaître.

Qu'après ce temps trop court où nous nous sommes aimés,
Tu puisses de nouveau toute t'ouvrir à mes pensées,
Les accueillir et savoir qu'elles ont infusé
Dans ce calice d'amour pour être juste approuvées.

Quatre saisons

Le voici venir tout doucement, il arrive
Alors que l'été nonchalamment change de rive,
Ses dernières chaleurs ne nous tromperont pas longtemps,
Elle est bien écrite cette mesure à quatre temps.

Dame Nature peut se parer d'un nouveau manteau,
C'est tout en douceur que l'automne peut se faire beau.
Toutes ces feuilles tombant, planant tout comme mes pensées,
Me laissent bien trop nu sur ce sol chamarré.

Toutes ces fauves couleurs, appelées à disparaître,
Feront place à une grisaille en le laissant naître,
Cet hiver qui me donnera le temps de voir,
Cette nouvelle force qui chassera mon désespoir.

Chaque instant m'offrira le bonheur de choisir,
Ce qui, caché dans mon cœur, pourrait devenir
De jeunes et belles pousses que je saurais arroser,
Pour que cette douce tendresse puisse séduire mon aimée.

Alors toi le printemps tu pourras t'éveiller,
Inonder la nature de bien belles nouveautés,
À travers lesquelles on pourrait même découvrir,
Une fleur, un cœur qui saurait peut-être l'attendrir.

Toi mon ami le vent il faut que tu t'en mêles
Que dans son jardin, de la main tu guides ma belle,
Qu'elle décèle dans ce parterre de milliers de fleurs,
Celle qui, parmi toutes, respirerait comme un cœur.

Alors tu pourras juste lui souffler à l'oreille,
Le doux plaisir que j'aurai qu'elle soit mon abeille,
Sachant bien que de la ruche elle sera la reine
Qui me butinera sans ménager sa peine.

Dès lors viendra l'été, les moments de gaieté,
De nos cœurs enchantés nous pourrons célébrer,
Une vie nouvelle comme de nouveaux horizons,
L'instant magique où j'entrerai dans sa maison.

Mon cœur tout doucement elle aura vu grandir
Et plus jamais de peur ne la fera frémir.
Nous célébrerons ainsi le quatrième temps
D'une mesure où l'amour sera la clé des chants.

Aujourd'hui

Aujourd'hui je suis là, dépité sur ma feuille,
Je sens bien la vie me quitter tout comme les feuilles,
Tombant des arbres chaque saison quand revient l'automne,
Pour mourir en terre et le rendre si monotone.

Malgré le soutien de mon amie si fidèle,
Mon corps peu à peu se fatigue, quitte le modèle
De cet homme que certains disaient comme attirant,
Pour devenir son ombre, ne plus être si charmant.

Ce sont mes mains qui peu à peu se tétanisent,
Ne pourront plus te caresser comme une brise,
Ce sont mes bras qui ne sauront plus te bercer
Dans ce nid douillet où nous pouvions nous aimer.

Puis c'est aussi ce dos qui ne me porte plus,
Me privant de présence et perdant l'absolu,
Que dire de mes émotions tellement chahutées,
Qu'elles m'ont laissé bien las, sans aucune destinée.

Je reviens vers toi ma douce et ma belle aimée,
Toi qui un instant as tout fait pour me sauver,
Regarde-moi et de moi tout ce qui a fui
Pour que tu puisses enfin changer mon aujourd'hui.

Maman chérie

Maman, comme je regrette que tu ne sois plus là,
Que dans tes bras je ne puisse plus m'abandonner,
Toi qui savais si bien comment me consoler
Quand mes chagrins d'enfant me menaient contre toi.

Ma douce maman, laisse-moi te confier toutes mes peines,
D'où que tu sois, tu puisses me guider vers la vie,
Que je retrouve le bonheur et bien des envies,
Moi qui depuis trop longtemps ne suis plus en veine.

Laisse-moi goûter à ta sagesse pour qu'elle me guide,
Que mon âme tout ouïe sache enfin t'écouter,
Toi que la divinité a bien caressée,
Que tu puisses œuvrer et faire que je sois solide.

Dans l'univers, l'espace, le temps n'existent pas,
Aide-moi à trouver la mesure, la portée,
Qui mettra mon cœur corps esprit concerté,
Dans une belle harmonie qui me bouleversera.

Alors mon corps pourra à son tour s'apaiser,
Retrouvant sa fluidité et son énergie,
M'étonnant même d'avoir retrouvé tant de vie,
Il saura me dire tout ce bien-être retrouvé.

Toi mon cœur quitteras-tu ton lit de douleur,
Sauras-tu séparer la raison de l'envie,
Oseras-tu penser enfin à une autre vie,
Qui te fera moins souffrir sans perdre sa candeur ?

Toi maman, pas de là-haut mais tout près de moi,
Que je ressente le souffle fort de ton amour
Pour qu'il pénètre en moi et me donne tour à tour
Cette envie de vivre et d'aimer tout à la fois.

Éclaire mon chemin et chacune de mes pensées,
Sois mon guide, qu'enfin paraisse avec évidence,
La belle dame dont le cœur battra en résonance
Tout contre moi, oh ma douce maman bien-aimée.

Horreur

Quand je te sens tout en moi, oh profonde horreur,
Et te ressens me broyer un peu à toute heure,
Que le jour et la nuit tu ne peux me quitter,
J'aimerais la venue d'un ange pour m'apaiser.

Mais quelle est donc cette faute que je dois payer,
Aux yeux de qui se doit-elle d'être si élevée ?
J'aimerais tant sa force ressentir et pouvoir
Livrer bataille et chasser loin mon désespoir.

Quand dans mon cœur je te sens et me laisse choir,
Qu'en chacun de tes mots, tu me prouves ton pouvoir,
Quand tu me montres ce qui pour toi n'est qu'une balade,
Alors mon corps fragile sait devenir malade.

Et là mon âme pleine, peut se sentir immortelle
Car seule elle survivra à cette enveloppe charnelle,
Laissant mon corps détruit sous tes coups de boutoir,
Dans cette bagarre inégale, bien trop illusoire.

Ma dépouille pourra enfin se laisser aller,
Toutes ces douleurs et souffrances pourront abdiquer,
Retrouvant la terre qui d'énergie l'a nourri
Pour se fondre et disparaître, plus à ta merci.

Mais là tu devras enfin me laisser en paix,
Mon âme différente de mon corps que tu blessais,
Enrichie de cette expérience bien malgré toi,
Saura s'élever te négligeant avec émoi.

Accueilli je serai, des bras je trouverai,
Le repos j'embrasserai pour soigner mes plaies.
Je saurai me reconstruire pour un avenir
Où, bien accompagné, je pourrai te détruire.

Je reviendrai et plus jamais tu ne pourras
Te délecter de ces morsures et tu sauras
Que ce nouveau corps pourra désormais lutter
Qu'avec mon âme nous serons la félicité.

Nos expériences

Comme l'eau de la rivière a poli dans le temps
Toutes les pierres qui composent son lit douillet,
Accordons-nous aussi et laissons-nous le temps
Que nos expériences forment en nous de tendres galets.

L'arc-en-ciel

Le bonheur est comme un arc-en-ciel,
Il a besoin de la pluie, il a besoin du soleil.
On le voit toujours quand il est loin et pourtant,
On peut bien en être le pied à chaque instant.

Regard

Ton regard me manque tant il est loin,
Tes petits écrins d'amour ne remplissent plus les miens.
Il me reste à fermer les yeux très très fort
Pour juste te regarder, me nourrir et espérer encore.

Si fragile

Tout est si fragile et ne tient rien qu'à un fil,
Mais comment donc rester fort quand tout se défile,
Quant à la moindre contrariété je perds pied
Et que les douleurs reviennent en moi s'immiscer.

Tout est si fragile quand mon cœur est trop peiné
Et se retrouve en l'absence de l'être bien aimé,
Quand la nature de ce silence assourdissant
Doucement me défait et me rend vieillissant.

Tout est si fragile quand mes deux yeux d'amoureux
D'avoir beaucoup trop pleuré n'ont plus le même bleu,
Quand mon corps fatigué rêve que tes mains si douces,
Le caressent, aidées de ta longue chevelure rousse.

Tout est si fragile quand tes mots je n'entends plus,
Que le vent les pousse vers des oreilles inconnues,
Qui n'entendront peut-être pas leur douce saveur
Et ne sauront s'enivrer de toute leur candeur.

Tout est si fragile quand mes pensées vont vers toi,
Qu'elles t'ont même fait une place pour vivre sous mon toit,
Que je t'imagine même ayant trouvé l'espace
Pour faire de notre demeure un petit palace.

Tout est si fragile quand le plaisir j'entrevois,
Quand mon corps hésitant est un peu aux abois,
Que je ne sais pas si je peux encore t'offrir,
Une seule parmi les mille et une nuits pour jouir.

Tout est si fragile quand la tristesse m'envahit,
De savoir tellement loin de moi tes bras partis,
De me sentir capable, bien bercé d'illusions,
De pouvoir encore partager quelque effusion.

Tout est si fragile et pour autant je me dois
De me battre et de m'offrir encore tout à moi,
La possibilité de guérir mon envers
Pour que mon endroit puisse enfin se mettre au vert.

Tout est si fragile mais maintenant je le sais,
Je dois affronter ma douleur et ses effets,
Te gardant en moi, voyant les jours qui défilent,
Je saurai voir celui où tu seras mon fil.

Manque

Aujourd'hui je ne vis plus qu'avec dans ton absence,
Elle m'accompagne chaque jour faute de ta présence,
Pourtant je ne suis disposé à m'en passer,
Elle est ma fidèle compagne qui m'aide à vibrer.

Dans cette galère où je vogue sans vraiment connaître,
J'apprends chaque jour à savoir comment renaître,
Pour trouver cette force qui saura te démontrer
Tous mes talents de capitaine prêt à barrer.

Chacun des jours qui passent me permet de rêver,
Que je te trouverai avant de m'échouer
Sur une île déserte où envahi de dépit,
Je comprendrai que je ne suis pas vendredi.

Reviens-moi, sois ma belle sur notre Caravelle,
Prends la barre aide-moi à écrire nos nouvelles,
Avançons ensemble pour lutter contre le gros temps
Soyons l'éclair qui déchire le rideau du temps.

Tu seras à mes côtés, ne sois pas qu'un mousse,
Prends ta juste place et hisse les voiles qui nous poussent
Vers d'autres horizons pour pouvoir découvrir,
Notre île déserte où enfin nous pourrons vieillir.

Je saurai être ton amoureux et plus un cancre,
À l'endroit où nous aurons voulu jeter l'ancre,
Tu seras la sirène dont j'ai toujours rêvé,
Je serai ton gondolier pour l'éternité.

Tu t'apercevras bien que les choses ont changé,
Qu'aujourd'hui tu peux et en toute sécurité
Naviguer en paix sur cet océan d'argent,
Où des vagues de douceur caresseront nos flancs.

Plus jamais nous nous protégerons des déferlantes
Plus jamais nous ne connaîtrons l'enfer de Dante,
Nous saurons nous cacher au fond de nos calanques
Pour vivre notre grand amour sans une once de manque.

Seul le soleil vivra et sera notre proue,
Nous illuminera à l'ombre de notre amour,
Je saurai me cacher et être ton saltimbanque,
Alors je pourrais même oublier le mot manque.

L'automne

Le vent accompagne chacune des feuilles qui s'envolent,
Il laisse planer le doute sur leur dernier voyage,
Doucement elles descendent, vivant leur dernier âge,
Respirent enfin la nature et ses farandoles.

La lumière vive de l'été doucement s'éteint,
Seule une lueur blafarde viendra la remplacer
Comme pour cacher l'évidence des arbres dépouillés,
D'une nature dont seul l'automne assure l'entretien.

Son souffle en accord se fait de plus en plus doux,
Il ressent déjà toute la fraîcheur à venir,
Habille chaque bourgeon d'un duvet pour prévenir,
De la prochaine éclosion, en dépit de tout.

Il est là, présent et s'installe tout doucement,
Les animaux fragiles sauront se protéger,
Dans un bon nid douillet ou peut-être un terrier,
Laisser passer ce qui pour eux ne dure qu'un temps.

Resteront certaines fleurs prévues pour adoucir
Les quelques journées pouvant être ensoleillées,
Nous préservant aussi de douces et belles pensées
Et nous rappeler que tout va juste s'endormir.

Tout est prêt maintenant bien que beaucoup moins vert,
Le souffle de l'air se fait de plus en plus frais,
L'automne tout doucement s'endort sans être inquiet,
Il peut laisser sa place et accueillir l'hiver.

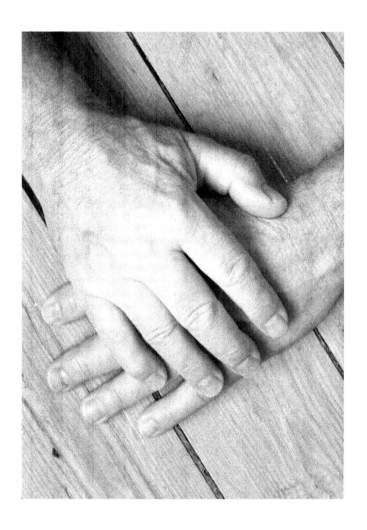

Mes mains

Elles sont là bien présentes, elles sont là bien vivantes.
Elles en ont façonné dans bon nombre de métiers,
Des formes bien différentes mais jamais à moitié,
Elles ont pu dans le temps devenir efficientes.

Si elles ont su être soit battantes, soit motivantes,
Elles ont su aussi avec douceur caresser
Chaque endroit de ton corps pour qu'il puisse frissonner
Et s'abandonner à cette soif enivrante.

Mes mains qui parfois pouvaient être un peu rugueuses,
Ont délaissé peu à peu ces travaux de force
Qui pouvaient leur donner une sensation d'écorce
Pour devenir au fil du temps douces et soyeuses.

Elles se sont cherché une nouvelle activité,
Oh certes pas longtemps, la vie leur a vite fourni
Un bon nombre d'occasions, bien que démunies,
De trouver le moyen pour encore exister.

Aujourd'hui, toutes belles et soignées elles écoutent,
Avec attention, ce que pendant des années
Mon être dans son inconscient avait su ranger
Pour maintenant le livrer sans l'ombre d'un doute.

Tout est clair, les voilà dans leur nouvelle fonction
Elles sont tout ouïe, s'abandonnent dans l'harmonie,
S'imaginent qu'elles sont les témoins de toute une vie,
Qui relate les drames, souffrances, douleurs et passions.

Soudain elles s'éveillent, elles ont envie de vibrer,
Faire revivre ces émotions sagement perdues,
Leur redonner sens peut-être même une vertu
Que dans l'expérience vécue elles puissent se fixer.

Mais là, elles s'envolent se rappelant qui tu es,
Elles veulent revisiter les plages de ton corps
Se rappelant chacune d'elles, ces moments d'accords,
Alors elles écrivent tous ces mots, ceux que tu sais.

Peut-être qu'enfin, mes paroles ne suffiront plus
Et que mes mains devront accompagner mes mots,
Pour que nos caresses nous préservent comme des joyaux
Et que nos bouches s'abreuvent de nos vers ingénus.

Maintenant ferme les yeux, tu peux écouter,
Tout ce chant divin qui te prend, qui te caresse.
Laisse-moi à ton cœur te faire la promesse,
Que mes mains, mes mots te feront l'amour, comblés.

Pourquoi pas

Mais quand donc à tes lèvres je goûterai le miel
J'ai depuis trop longtemps plus que le goût du fiel
Et de savoir qu'un d'autre boit à ta bouche offerte
Je ressens la douleur qu'exprime mon âme déserte.

Il me tarde de remonter le temps, pour autant,
Il me semble avoir vécu durant tout ce temps
Bien que douleur, cet apprentissage, expérience
Qui m'ont mené vers la vérité en souffrance.

Je sais trop aujourd'hui bon nombre de mes fautes
Qui ont fait que dans ton cœur je ne suis plus l'hôte.
Je me suis fourvoyé par peur de disparaître,
Moi qui voulais tant que tu puisses enfin renaître.

Si on savait d'avance bon nombre de ces choses,
On ne se piquerait pas en cueillant les roses,
Nous pourrions même confectionner tout un bouquet
Qui nous permettrait d'exister sans être défait.

Aujourd'hui le regret m'assaille à chaque instant,
Il ne m'est plus permis de caresser le temps
Pour qu'il m'accorde quelques secondes d'éternité
Que je puisse baiser cette rose sans me piquer.

Le temps serait-il le meilleur de mes alliés
Pour que je puisse juste prouver à ma dulcinée,
Que dans la douleur vécue tous ces derniers mois,
Une belle conscience a éclos tout au fond de moi ?

J'étais chrysalide et je deviens papillon,
Regarde-moi bien et offre-moi ton pardon,
De ce temps passé dans mon cocon, sera née
Une belle harmonie que mes ailes feront vibrer.

Doux ces moments que je peux juste imaginer,
Qui me donneront aussi l'envie de chanter
Ce que nous composerons comme une mélopée
En écrivant le récit de notre odyssée.

Les chœurs de l'univers nous accompagneront,
Bénissant ce bonheur que nous partagerons,
Les volutes du temps sauront nous transporter
Dans cet endroit caché seul fait pour nous aimer.

Absence

Ton absence aujourd'hui et ma meilleure amie
Elle est présente chaque jour et pas à demi,
Elle est en moi à chaque instant de la journée
Et m'accompagne aussi quand la nuit est tombée.

Le matin je me réveille tout à tes côtés,
Tu es là mais je ne vis que dans mes pensées.
Un instant, juste pour un baiser mon cœur s'emballe,
Alors pour des caresses c'est trompettes et cymbales.

La fanfare de mes émotions alors m'enchante,
L'envie de te serrer se fait aussi criante,
Grondez timbales de mon cœur que je puisse vibrer
Et que les frissons de ce chœur puissent m'enivrer.

Une kyrielle d'anges pourront alors nous élever,
Nous donnant la main pour encore mieux nous guider
Dans cet univers divin où nous recevrons
Ce bonheur accompli dont nous nous parerons.

Mais je dois redescendre ce n'était qu'un instant,
Où je m'étais enfui avec toi dans le temps,
Il me faut retourner au sombre de mes journées
Où loin de toi, je n'existe que dans mes pensées.

Je vis de nouveau dans cette vie qui n'en est pas,
À passer mes journées en rêves qui ne sont pas,
Trouvant quelques forces qui me permettent de me battre,
En attendant le soir et ton cœur pour débattre.

Je te retrouve tout là-haut, seule nous est contée,
La vérité de mon amour resté entier,
Qui m'accompagne au quotidien dans mon errance,
Et me donne à penser qu'il soulage ma souffrance.

Qu'il est doux d'imaginer et je m'en contente,
Qu'un jour peut-être te retrouverai pétillante,
Que renaîtra pour toi une quelconque attirance
Te permettant de briser ce vase de l'absence.

L'orage

Le ciel est bas en cette fin de journée si grise
Les nuages là-haut s'affûtent, seraient-ils en crise ?
Je me surprends regardant ce ciel chahuté,
Je me demande à qui il me fait bien penser.

Plus rien ne m'étonne dans cette douceur d'automne,
Tout là-haut j'entends que ça gronde et que ça tonne,
Je ne peux pas ignorer tout ce qui se trame
Encore un peu et ce pourrait bien être un drame.

Je me sens attiré, peut-être un peu curieux,
Je ressens cette lutte jusqu'au plus haut des cieux,
Alors je m'invite en regardant ce spectacle
À l'affût d'un indice ou peut-être d'un Oracle.

La lumière à son tour prend sa place sur cette scène,
Un peu trop déroutante par saccades presque obscènes,
Déchire et explose le ciel menant jusqu'à terre,
Ces belles décharges d'énergie appelées éclairs.

Alors las sans doute d'avoir beaucoup trop lutté,
Les nuages chacun à leur tour se mettent à pleurer
Invoquant le désir de vouloir mettre au jour,
Ce grand besoin qu'ils ressentent de porter secours

Notre mère la terre se sera désaltérée,
De toute cette eau bue elle peut se sentir comblée,
Elle saura comme il se doit faire des provisions
Et parer à tout manque pour vivre sans explosion.

Dans cet horizon jouant un son et lumière,
Je peux m'abandonner et dire quelques prières.
Timidement la pluie redonne de pâles reflets
Au ciel dont les tambours deviennent de doux sonnets

Bercé par ce lent et beau chant, tout doucement,
Je reviens dans mes pensées qu'un petit instant
J'avais su quitter pour vivre par procuration
Mes tout derniers mois de vie et ses variations.

Le bonheur existe

Le bonheur existe on me l'a dit ce matin,
C'est un passant que j'ai dû croiser en chemin
Qui me l'a confié, il avait l'air sûr de lui,
Je veux bien le croire, croquer chacun de ses fruits

Il me tarde enfin de voir le jour se lever
Pour qu'il emporte les douleurs de cette nuit passée.
Je l'attends la journée, oui dès sa première heure,
Qu'elle puisse me faire découvrir les joies du bonheur.

Il s'en est allé depuis beaucoup trop longtemps
Et bien que je me surprenne à aimer le temps,
Il me semble bien temps que je puisse le goûter
Celui qui, en d'autres temps, pouvait m'enivrer.

Que chacune des saisons en son sein le protège,
Que les portées qu'il écrit se couvrent d'arpèges,
Pour encore mieux le rendre harmonieux dès l'éveil
Et le laisser en moi prodiguer ses conseils.

Il sera toujours temps de se laisser cueillir
Par cette douce caresse sans jamais ne faillir,
Que sans artifice il sache me mettre le feu
Et puisse m'accompagner dans ce monde jusqu'aux cieux.

Je t'attends, n'aie pas peur, tu peux me prendre la main,
Me conduire sans douter tout au long du chemin
Où je serai ton fidèle disciple, appliqué
Et je pourrai toute ma vie entière me confier.

Prends-moi, reste en moi et ne me quitte plus jamais,
Qu'à partir de ce jour nous soyons calumet,
Si éloignés nous fûmes, ce fut loin de nos êtres
Trop perdus dans mes brumes ou à deux doigts de l'être.

Rejoins-moi, je te rejoins pour ne plus faire qu'un,
Invitons celle pour qui je serai cristallin,
À qui j'offrirais ma vie et toutes ces couleurs
Pour venir tourner les pages de notre bonheur.

Le Petit Bourg

Il était un bar, il était un restaurant,
Qui avait perdu son âme, peut-être ses clients,
Du moins ceux qui cherchaient des gens à rencontrer
Pour partager tout autre chose qu'un déjeuner.

Et voilà que tout doucement il reprend vie,
Ils viennent bien plus nombreux, du grand au plus petit,
Pour vivre ensemble et dans la convivialité,
Des moments, pour certains avec assiduité.

C'est un lieu de rencontres qui avait pu manquer
Dans ce village où les gens voulaient bien vaquer,
Pour se retrouver, peut-être simplement se voir
Et partager ensemble des instants de mémoire.

Les familles venaient, les amitiés se vivaient,
Tous semblaient à l'aise en ce lieu et renaissaient
Touchés par cette nouvelle sensation, tel un cœur
Qui essaimait cette envie de créer un chœur.

Certes les tenanciers n'étaient pas trop étrangers
À ce renouveau qu'ils avaient bien fomenté,
En organisant souvent des soirées à thème
Permettant d'exprimer des différents je t'aime.

Un cœur de village a voulu reprendre vie,
Les gens ont tenu à sortir de leur ennui
Et se dire que cela valait bien un détour
Que de passer un instant par le Petit Bourg.

Vivre

Depuis de bien nombreuses lunes, je suis en recherche.
Est-ce que la vie voudrait me tendre quelques perches
M'aider aussi à comprendre le pourquoi des choses
Et savoir que tous les jours ne peuvent être roses ?

J'ai appris dans le tourment et bon nombre de faits,
Que notre chemin conjugue aussi l'imparfait,
Qu'il nous faut parfois rencontrer bien des douleurs
Pour comprendre qui nous sommes avant la dernière heure.

Le départ d'un enfant dans une horreur suprême
Nous donnerait-il à dire aux autres qu'on les aime ?
Aurions-nous besoin de vivre de telles expériences
De penser qu'on ne grandit que dans la souffrance ?

La lente séparation d'un être que vous aimiez
Pour qui vos bras étaient grands ouverts sans compter,
Avec qui vous faites le constat que tout finit,
Que seul votre enfant vous liera à l'infini.

Et la maladie qui vous assaille de toute part
Qui fait vous demander quand sera le départ,
Cette non-envie de vouloir vous-même vous sauver
Ce désespoir qu'il vous faut chaque jour chasser

Que dire d'un amour qui vous quitte, vous laisse seul
À qui vous dites vos erreurs sans paraître veule,
À qui vous criez votre douleur sans pareil,
Qui ne répond pas, seul votre cœur reste en veille.

De ces épreuves de vie, il nous faut juste savoir
Où trouver l'énergie et la force de pouvoir
Simplement extraire de notre mine intérieure
Cet or qui illuminera notre cœur boudeur.

Il nous serait permis de vivre de nouveau
Donc d'enrichir notre être de tout ce qui est beau,
Pour qu'embellis et emplis de si belles richesses,
Nous puissions partager avec un être en liesse.

Vieillir

Qu'il serait bon de pouvoir vieillir avec toi,
Savoir qu'à tous moments je te tiendrai le bras
Et que dans ton regard je trouverai les pas,
Ceux qui, à chaque instant, me tiendront près de toi.

De ce qui est peut-être bon quand on prend de l'âge,
C'est qu'on peut se targuer de devenir plus sage,
Un peu moins fou, on peut rencontrer la raison,
Trouver le désir de ne vivre plus qu'une passion.

Quand fier d'avoir été capitaine de sa vie,
Qu'on s'est plu à voguer sur les mers de l'envie,
Il vient un irrésistible besoin d'accoster,
Trouver le dernier port et venir s'amarrer.

Pouvoir se dire qu'il aura fallu bien du temps,
Pour comprendre l'intérêt de chasser le gros temps
Qui, sans conteste, nous jette sur bien des écueils,
Nous privant d'écrire les pages de notre recueil.

Nos corps qui peu à peu nous éveillent à la science,
Nous révèlent avec stupeur et surtout défiance,
Que nous sommes pourvus de tout un tas d'artifices
Que la maladie nous situe avec malice.

Je me surprends à compter chacune de tes rides,
Elles te rendent si belle, attestent de ta vie peu fluide,
Des douleurs, des drames que tu as pu traverser
Rendant ton corps lourd, portant ton cœur transpercé.

Moi non plus la vie ne m'a pas trop épargné,
Elle m'a donné à comprendre, en étant châtié,
Que chaque expérience dans sa vérité, portait
Tous les desseins de notre âme écrits en motets.

Alors que ces doux chants anciens et harmonieux,
Unissent nos chemins en un sentier merveilleux,
Nos vies comme un fusain traçant l'éternité
Nous donnent à tous d'accueillir la félicité.

Plus d'âge, plus d'année, plus de jours à retenir,
Que l'amour qui nous sera donné pour jouir
De chaque instant à vivre et cela pour le mieux,
Du bonheur partagé à devenir des vieux.

L'envie

Elle est là chaque jour et je vis avec elle,
Elle est aujourd'hui ma compagne fidèle,
Elle sait tout l'amour que j'éprouve toujours pour elle,
Elle sait mes écrits qui me portent haut dans le ciel,
Elle sait le bonheur quand je serai sous son aile,
Elle sait tous mes espoirs confidentiels
Elle est là, je la sens et me fonds avec elle,
Elle, je vous la présente, c'est l'envie éternelle.

Les fils perdus

Combien d'entre eux sont-ils tombés au champ d'honneur ?
Quelle curieuse expression pour parler de l'horreur
De ces hommes sacrifiés, souvent raison d'état,
Par d'autres qui eux restent bien à l'abri des combats.

Avaient-ils vraiment le choix de donner leur vie
Ces combattants de qui on n'a pas eu l'avis,
Pour simplement flatter depuis la nuit des temps,
L'ego de certains hommes qui veulent devenir grands ?

Oh certes, il a bien fallu sauver la patrie,
Repousser des gens qui se croyaient tout permis
Conserver cette terre gagnée par nos ancêtres
Sans savoir comme ils en étaient devenus maîtres !

Est-ce ce besoin de propriété qui donne droit
À tout un chacun dès qu'il se trouve à l'étroit,
De bien vouloir et pas toujours dans la douceur,
S'octroyer le bien d'autrui pour en faire le leur.

Sans compter ces envies d'évangélisations
Qui, menées au nom d'un dogme ou d'une religion,
S'autorisèrent un nombre important de massacres
Pour convertir, mener leur propre Dieu au sacre.

On pourrait penser que tout n'est que souvenir,
Que tous ces hommes depuis ont bien voulu grandir,
Que de toutes ces richesses qu'ils ont pues convoiter,
Seules resteraient celles qui en leur cœur sont aimées.

Rien de cela, c'est tellement à désespérer,
De voir les fruits de toutes ces expériences passées,
Pourrir sans l'espoir d'escompter un seul instant
Que la grandeur des âmes pourrait défier le temps.

Que dire d'une mère éplorée qui perd son enfant
Que dire encore des enfants privés de parents ?
Que de toutes ces horreurs ou douleurs survenues,
Seule reste la paix dans le cœur des fils perdus.

Là

Tu es là, je te sens
Et moi je suis présent.

Je te guette chaque jour
Même si cela dure toujours.
Depuis longtemps je ne vis qu'avec toi
Pour moi tu es sous mon toit.

Tu es là, je te sens
Et moi je suis présent.

Cet amour il est vrai
Chaque jour il est frais.
Je ne te quitte pas
Je cherche juste tes pas.

Tu es là je te sens
Et moi je suis présent.

Si tu me savais changé
Tu pourrais de nouveau m'aimer.
Mes bras ouverts pour toi
T'accueilleraient dans la joie.

Tu es là je te sens
Et moi je suis présent.

Amour

Tu me tiens depuis si longtemps que je te garde,
Si tu me fais trop souffrir, tant pis je la garde.
Bien avant la douleur elle était dans mon cœur,
Elle ne pourra s'échapper ainsi de mon cœur.

Je saurai l'attendre même si elle est partie loin
Avec toi je la rattraperai tout au loin,
Toi compagnon, laisse-moi t'appeler amour
Aide-moi pour qu'elle découvre mon être d'amour.

Sous ma plume

Je le sens vibrer, ce besoin de s'exprimer
Qui m'a si souvent tenu très tard éveillé,
Je le connais et, pour me sortir de la brume,
Lettres et mots vont s'épouser là, sous ma plume.

Alors je contemple ma main qui peut livrer
Ce qui est de moi et que je ne veux garder,
Qui forme en douceur de multiples arabesques
Pour écrire ces instants pas toujours romanesques.

Toute cette prose, tous ces vers qui arrivent sur ma feuille,
Je sais trop d'où ils viennent et pourtant les accueille.
Ils sont ce que je suis, je ne peux les bannir,
Du plus profond de mon être ne font que jaillir.

Depuis si longtemps que tout sommeillait en moi,
Il m'a fallu de nombreux jours et être en proie
À tant de douleur, de drames et de lourds chagrins,
Pour bien comprendre ce que pouvait être mon dessein.

Aujourd'hui les mots ne sont plus vraiment les mêmes,
Ils se laisseraient porter par différents thèmes,
Allant visiter, découvrir d'autres contrées
Ou simplement convier ma muse à mes côtés.

Oui c'est ça, sachez simplement écrire la phrase,
Qui saura toucher et séduire avec emphase,
Celle que je saurai trouver, peut-être retrouver,
Qui paraîtra à mes yeux plus belle qu'une fée.

Chanter les mots, crier, louer dans l'allégresse,
Laissez-vous cueillir par cette plume tout en liesse
Qui saura vous poser tout en ordre, bien rangés,
Pour coucher l'expression pour toute l'éternité.

Maintenant je suis prêt et je l'ai préservée,
Cette place à jamais si tu veux convoler,
À l'union de nos sens qui feront que nos mots
Paraîtront chaque jour pour les sertir d'émaux.

Juste là je te sens, je veux te respirer,
Je ferme les yeux pour encore mieux te regarder,
Tu déclames à ton tour et je vois sous la lune,
Tous ces reflets d'argent qui font briller ta plume.

L'âme en vieux

Mais quelle est donc cette expression devenir vieux,
Sera-t-elle la pensée de ce que disent nos yeux
Ou bien le regard de ce que l'on peut penser
Ou encore un monde que l'on voudrait éviter ?

En voyant nos années passées, on se demande
Quand sera notre tour d'être mis à l'amende,
De rentrer dans une classe d'âge prédéterminée,
Qui nous condamne trop souvent à être déclassés.

Quand j'écoute mon corps parfois qui s'exprime, en nage,
Mon âme elle, est bien trop vieille pour avoir un âge,
Elle œuvre depuis si longtemps pour que bien je vive
Me guide dans le temps pour que mon corps survive.

Elle est ma plus fidèle et plus aimante compagne,
Et si un jour mon corps ne bat plus la campagne,
Alors elle s'en ira s'offrir quelque repos,
Et reparaîtra plus tard dans une nouvelle peau.

Vis mon âme, soit éternelle comme une jouvencelle,
Qui traverse les époques du haut d'une balancelle
Au travers des vies, sur son chemin de lumière,
Pour gagner l'éternité, senteur singulière.

Les mots qui caressent

Je les sens, ils demeurent, ils sont en moi sans cesse,
Tous ces mots qui chaque jour sont comme des caresses,
Qui me permettent d'exister, encore de rêver,
Que tu es là, pas très loin, peut-être à m'épier.

Quand mes mains tremblantes signent sur les pages de
ton corps,
Toutes ces si douces pensées qui me font vibrer fort,
Quand ma plume caressante t'offre les mots que tu aimes,
Alors mon cœur s'enivre et respire ce poème.

Mon être devient léger, savoure avec candeur,
Tous ces mots envolés qui rejoignent ton cœur
Sur ce chemin chargé de prières d'Abraham,
Que mes deux yeux fermés accompagnent en ton âme.

Mes mains qui écrivent, se mettent aussi à penser,
Qu'avec tous ces mots elles pourront te caresser,
Songer en l'instant à de doux moments plaisir
Qu'à ton corps délicat je saurais bien offrir.

Que tes yeux, oreilles soient attentifs à mes mots,
Qu'ils te bercent et t'allègent de chacun de tes maux,
Qu'ils nous transportent, nous donnent à partager sans faim,
L'amour de tous ces vers qui nous caressent si bien.

Et quelques bougies

Toi ma tendre amie, laisse-moi juste t'inviter.
Prends place à ma table, celle pour toi que j'ai dressée,
Laisse-moi te servir avec délicatesse,
Même quelques secondes au-delà de l'allégresse.

J'ai grand bonheur à te savoir tout près de moi,
Pour autant je veux bien réprimer mon émoi,
Surtout ne pas te déranger, t'importuner,
Juste te dissimuler chacune de mes pensées.

Sur la table quelques bougies pour quelques années,
Peu importe le nombre et ce qu'il peut souligner,
Toutes ces flammes qui vacillent, éclairent ton doux visage
Que ta chevelure de feu effleure d'un air sage.

J'aime à respirer durant ces quelques instants,
J'ai pensé si fort que j'ai arrêté le temps.
J'ai peur que, pendant ce silence assourdissant,
Tu entendes mon cœur qui bat si fort, qui bat tant.

En l'instant, j'apprécie de te garder encore,
Je m'assieds, pose mes mains sur la table, tout au bord,
Et pour mieux te regarder je ferme les yeux,
Juste un instant, un instant seulement près des dieux.

Ainsi je peux avec quelques mots, avec quelques vers,
M'autoriser certaines caresses, rien de travers
Seule l'expression d'une douceur clairement ressentie,
D'une présence partagée avec toi mon amie.

Alors, je peux juste m'autoriser un baiser,
Posé tendrement sur ta joue un peu rosée,
Te souhaiter avec la courtoisie convenue
Un très bel anniversaire, non sans retenue.

Les jardins d'ailleurs

J'aime me promener seul et ça quelle que soit l'heure,
Dans ces jardins fleuris où je me sens ailleurs,
Transporté un instant dans ce temps suspendu,
Là mon cœur se repose espérant ta venue.

Alors je peux regarder ces parterres de fleurs
Aussi magnifiques soient-elles ne pas te faire peur,
Tu resteras éternellement la plus belle
Et dans mon cœur occupera la place du miel.

Je me plais à nous imaginer hors du temps,
Nos deux silhouettes qui, tout en se promenant,
Donnent à ce chemin une belle allure poétique,
Ton bras posé sur le mien, un air romantique.

Je m'abandonne, je me lâche, rien ne me retient
Je vis cet instant présent et je me sens bien,
Même les arbres semblent se courber pour nous saluer
Et le chant harmonieux des oiseaux nous porter.

Inondé de bonheur je m'assois sur un banc,
T'invitant à prendre place, rester un instant,
Fermer les yeux et mieux ressentir évident,
Le battement de nos cœurs que l'amour rend présent.

Il est beau cet endroit et j'aimerais pouvoir
Chaque instant t'y retrouver et pas que le soir,
Pour te caresser de mes mains, de mes mots,
Sentir ton cœur s'enivrer, s'envoler bien haut.

Aujourd'hui je suis prêt pour ce grand voyage.
Si tu veux bien m'accompagner hors de cette page,
Prendre ma main, te laisser guider avec candeur,
Pour qu'ensemble on puisse vivre notre jardin d'ailleurs

Esméralda

Comme je peux comprendre ta souffrance Quasimodo
Et savoir tout le poids que tu portes sur ton dos,
Quand tu ne peux te résoudre à l'abandonner,
Celle qui, chaque jour, habite tes profondes pensées.

Cette drôle d'envie de mourir pour celle qu'on aime,
Qu'elle soit aristocrate ou bien juste bohémienne,
N'a d'autre raison que d'abréger la douleur
Quand le désespoir remplace l'amour dans le cœur.

À quoi bon vivre si on ne peut pas partager
Cet amour qui semblait pourtant bien destiné
À être croqué un peu plus et mieux chaque jour
Et faire de notre vie un doux nid de velours.

Aujourd'hui je suis seul pour mieux vivre avec toi.
Tous les jours qui défilent je les passe à ton bras,
Je fuis tous les gens qui ne pourraient pas comprendre,
Ce que chaque jour la vie ne fait que m'apprendre.

Ce soir je voudrais que tu danses juste pour moi
Que tu me livres un spectacle de tout premier choix,
Je serai ton public et ta foule en délire
Je saurai toucher ce que ton corps veut me dire.

J'aurai juste pour moi le bonheur de t'aimer,
Tout en regardant ta longue robe s'envoler
Et ta tête s'agiter dans un rythme endiablé
Menant ta chevelure comme une mer démontée.

Tu reviendras doucement m'offrant pour finir
Ce que tes dernières ondulations veulent me dire
Quand la beauté de ton corps respire tellement fort
Et me laissent à penser mon désir en accord.

Ouvre-moi tes yeux que je puisse les contempler,
Cachées qu'elles étaient ces deux petites perles dorées,
Que je cherche en elles, que j'aimerais découvrir,
Cette belle histoire qui conterait notre avenir.

Viens tout contre moi, laisse-moi te respirer,
Quelques instants seulement, un peu d'éternité,
Humer le parfum enivrant de ta chaleur,
Seuls dans un moment d'abandon tout en douceur.

J'ai pu quelques minutes m'évader quelque peu,
Sur cette belle scène magique où tu as mis le feu,
Te retrouver, toi ma sublime Esméralda,
Te garder à jamais, oh ma belle Zingara.

Le sein rose

Je me le suis offert ce blanc-seing,
Il me fallait bien parler de mon sein,
Celui dont on voulait évidemment me priver
Sous prétexte qu'à ma vie, il pourrait attenter.

Alors je me suis résignée bien qu'un peu perdue,
Dans cette bataille j'ai jeté tout mon dévolu.
Si je le perds, pour autant je garde mon âme,
Je ne suis pas disposée à déposer les armes.

Donc je me suis battue, parfois comme une folle,
C'est que je voulais la garder moi mon aréole,
Et puis il a bien fallu me rendre à l'évidence,
J'ai dû tout accepter, cela jusqu'à l'incidence.

On m'a dit qu'on allait pouvoir me reconstruire
Que de nouveau je verrai ma poitrine saillir,
Je n'avais pas compris que c'était soigner mon image,
Dans mon corps, je m'étais déjà rendu hommage.

Aujourd'hui je n'ai vraiment qu'un seul regret,
Pas celui de m'être découverte non sans intérêt
Mais de n'avoir pas su protéger, peut-être pas assez sage
Mes deux seins qui voulaient vivre dans mon corsage.

Pur

Je sens les rafales du temps gonfler les voiles de ton absence,
Qui de nous deux aujourd'hui pourrait justifier de sa présence ?
Tu es certainement beaucoup plus en moi que moi en toi
Mais là, je ne suis plus sûr de rien, tant tu es sous mon toit.

J'ai découvert ce qu'était l'amour pur, celui qui ne parle
qu'au cœur
Sans besoin de devoir ou pouvoir l'exprimer avec les
corps en chœur,
Ces derniers restant sans doute la façon de le sublimer
entre deux êtres
Et lui donner cette dimension beaucoup trop terrestre pour être.

Mon cœur, mon âme ont su, ont dû s'élever pour trouver
bien haut
Ce que la maladie m'a aidé à découvrir au-delà des ciels
boréaux,
Bien que cette richesse soit au cœur de chacun de nous,
dans un écrin,
Une façon d'aimer tellement pure qu'elle raisonne d'un
son cristallin.

Le temps ne compte plus à présent et je suis prêt à attendre,
Que tu croises une de mes pensées qui saura te surprendre,
Qui sera alors une petite graine qui, plantée dans ton cœur,
Germera pour laisser naître l'arbre de notre bonheur.

Nous pourrons alors cueillir ces fruits que nous dégusterons,
Qui ouvriront nos cœurs et laisseront voir la dimension
De ce qui nous sera donné de vivre alors et pour toujours,
Accompagnés par des cohortes d'anges aux ailes de velours.

Tout me laisse à penser que tu es mon véritable amour,
Que mes mots, mes chants feront de moi ton troubadour,
Qu'en chantant enchantés, nous tournerons les pages de
notre livre
Que bien des amoureux voudront plagier pour pouvoir le vivre.

Tant de fois j'ai bien voulu rêver et tellement désirer,
Tout ce que, dans ce voyage, la vie a bien voulu me donner,
Parfois dans la douleur, offrant à mes ailes une telle envergure
Que même Aphrodite conviendrait de cette belle posture.

De ce temps qui n'en est plus un, il me tarde pourtant,
De te faire enfin le plus beau de tous les serments,
Qui fera battre ton cœur et lui fera ressentir ce que procure
Le plus fidèle et le plus beau des amours quand il est aussi pur.

Le silence

Ce long silence qui résonne en moi comme l'absence,
Dont le trait épais dessine toute l'arborescence,
De ce que peut-être au plus profond la douleur,
Quand elle vous prend, vous possède et vous broie le cœur.

Pourtant ce silence est chargé de tant de mots,
Tous ceux que je peux entendre et qui sont si beaux,
Qui me chantent et me permettent encore d'espérer,
Que toi aussi bientôt, tu sauras m'écouter.

Je veux bien encore que tu caresses mon ouïe,
Que tu saches ce qu'éperdument nous réjouit,
Quand tes mots comme tes mains se promènent sur mon corps
Pour qu'elles écrivent tous ces vers comme un bel accord.

Au rythme de chacun des battements de mon cœur,
Je saurai entendre ce que peut être le bonheur
Que tu me chanteras, quant au creux de mes bras,
Tu te livreras pour que je guide tes pas.

Je me terre, me renferme pour être juste avec toi,
Et n'entendre d'autres bruits que celui tes pas
Quand tu t'approches, m'enlaces, je me mets à vibrer
Car je sais qu'avec toi je pourrais respirer.

Je me tais, plus un bruit, je suis juste à l'écoute,
Je t'entends ma sirène, je n'ai plus aucun doute.
Je me laisse porter sur tes flots, en toute confiance,
Je pourrais même marcher vers toi et sans défiance.

Ce soir encore je dormirai tout contre nous,
Poserai ma main sur ton sein tellement doux,
Alors je m'entendrai dire d'une voix de velours :
« Je te souhaite une belle et douce nuit mon amour »

Je sais, je fuis cette réalité bien trop dure,
Quand tu nous refuses moi et mon amour si pur,
Que tu me laisses désemparé dans ma tristesse,
Seuls demeurent les rêves réservés pour toi déesse.

Tout espoir n'est pas mort et je veux croire encore,
Que tout ce que nous avons vécu de si fort,
Me permette de condamner comme une indécence
Ce long silence qui résonne en moi comme l'absence.

Mon île

Je vis chaque jour ma vie sur mon île déserte,
Attendant ton retour par une quelconque desserte
Me trouvant comme Robinson, sans l'avoir choisi,
Bien seul et perdu attendant mon vendredi.

Il est bien trop long ce temps qui m'éloigne de toi
Qu'il soit autant linéaire de m'arrange pas.
Toutes ces langueurs monotones me donnent à penser
Que je m'éloigne du temps où l'on pouvait s'aimer.

Alors je veux bien imaginer, découvrir,
Qu'il existe dans l'univers un temps à venir,
Qui serait différent un peu comme une spirale,
Qui nous ramènerait dans ce temps sidéral.

Il nous serait donc permis de reprendre la vie
Là où nous avons peut-être péché par envie,
Juste avant le moment où tout va se détruire,
Nous donner une chance de pouvoir encore construire.

Mais serait-ce si raisonnable de compter ainsi
Sur ce droit à l'erreur où tout serait permis,
Nous offrant l'opportunité de tester l'autre
Avec, bien sûr, le désir d'être un bon apôtre.

Non bien sûr, tout cela n'est que pure utopie,
Il nous revient chaque jour de vivre sa vie,
Ne pas compter sur l'autre pour réparer nos fautes,
Être juste là, accompagner côte à côte.

Il me reste donc à retourner sur mon île,
Partager encore avec mon âme volubile,
Scruter l'horizon, espérer apercevoir,
Celle qui, de nouveau, voudrait bien me revoir.

Alors là, je saurais l'accueillir dans la joie,
Lui donner à comprendre qu'aujourd'hui j'ai le droit,
De tisser cette toile d'expériences fil à fil,
Qu'enfin elle m'accompagne chaque jour sur mon île.

Et si…

Je me réveille d'une nuit passée en ton sein
À me blottir tout contre toi, tenant ta main,
M'enivrant des parfums que ton doux corps exhale
Ne laissant échapper aucune odeur florale.

Qu'il est doux cet instant, qu'il puisse encore durer,
Qu'il m'offre ce bonheur si souvent désiré,
Qu'il se transforme en torrent sachant fort gronder
Remplissant mes veines de cette lave tant aimée.

Je me perds dans ton regard et sa profondeur,
Je sais toutes tes richesses et accueille ta candeur,
Nos larmes se rejoignent en nos cœurs trouvant source,
Donnant vie à ce fleuve inondant nos ressources.

Je me présente à toi, je n'ai rien à cacher,
Dans ma nudité laisse-toi me contempler,
Regarde en moi tout ce qui est si différent,
Laisse-moi t'offrir le travail et l'épreuve du temps.

Tu m'ouvres tes bras, je viens seul tout contre toi
Alors les anges du ciel nous chantent des alléluias,
Quand tous les feux de l'univers nous purifient,
Pour qu'enfin notre amour divin puisse prendre vie.

Nous sommes ici tout au début de notre avenir,
Marchons devant, là où est notre devenir,
Prends ma main et laissons-nous aimer nos envies
Mais qu'est-ce qui m'arrive je me sens bizarre, et si…

Vivre seul

Vivre seul, je ne sais plus vraiment ce que c'est,
Les mois passent et je suis maintenant, sans excès.
Ton absence peu à peu s'est imposée, présente,
Tout au plus profond de moi comme une âme vivante.

Je t'ai accueillie, ça, il y a bien longtemps
Pour que tu vives chaque jour, quel que soit le temps,
Celui que l'on trouve beau, celui que l'on conjugue
Et qui vous dissuade de tenter une fugue.

Tu es avec moi, je te sens, je te respire,
Si parfois il me vient à l'esprit de m'enfuir,
C'est pour encore mieux m'approcher, tout contre toi,
Sentir ton cœur qui bat comme une biche aux abois.

Avoir ce doux plaisir de te prendre dans mes bras
Et sentir nos deux corps fondre dans tous leurs états,
Que de cette étreinte naisse le désir accompli,
Dans cet amour qui pourrait enfin prendre vie.

Mes pensées sont abondamment sollicitées,
Elles ont pris une part importante sans se soucier
À quel point elles me privaient d'un sommeil certain,
Sous prétexte de créer le plus beau des quatrains.

Mais hélas, je sais bien trop comme tu es si loin,
Que jamais je ne pourrais me résoudre à rien,
Que je vis cet amour partagé dans mes rêves,
Me guidant quelque peu sur la voie qui m'élève.

Espoir, oh mon bel espoir, laisse-moi encore croire,
Toi qui me guides chaque jour du matin au soir,
Qu'il m'est encore permis de pouvoir caresser
Ce si doux secret qu'elle puisse de nouveau m'aimer.

Laisse-moi être ta source qui saura t'abreuver
La voix de mes mots qui pourraient bien t'enchanter,
Le lit de ta rivière pour que tu te reposes,
L'instant de nos vies pour qu'il fleurisse comme une rose.

Je n'ose même plus te confier combien je t'aime,
Poser sur ta tête une belle couronne, un diadème
Pour que, comme une reine tu me guides aux confins,
Dans ce royaume, je ne vivrai plus seul enfin.

À Brigitte

Ce soir, j'ai le cœur léger, ne veux rien défaire,
Garder en moi ce cadeau que tu m'as offert,
Toi qui, par un simple appel, as su m'apporter,
De si doux compliments qui m'ont réconforté.

En quelques minutes tu m'as donné à comprendre
Ce que pendant des années je n'ai fait qu'attendre,
La reconnaissance dont j'ai pu tellement manquer,
Dès ma plus jeune enfance, jusqu'à ces mois derniers.

Mes écrits t'ont plu, ils ne sont rien d'autre que moi,
Je me suis mis à nu, une profession de foi,
Je veux faire preuve d'humilité et sans tricher,
Trouver ma juste place et ne plus la quitter.

À toi que je découvre je voudrais te confier,
Le bonheur que j'ai eu durant cette soirée,
À partager tes mots tout autant que les miens,
Pour quelques instants pouvoir humer leur parfum.

Que mes vers puissent encore te porter, au-delà
Des frontières de ton être et te mettre en état,
De sentir le bonheur qu'ils procurent comme un rite,
En faisant vibrer ton âme au fond de toi Brigitte.

Femmes

Très modestement je vous offre ces quelques vers,
Vous qui avez su parfois me mettre à l'envers
Me faire perdre le moindre sens des réalités,
Dans la longue recherche de ma pâle identité.

Aujourd'hui je vous dois d'avoir tellement appris,
Tout en marchant à vos côtés d'avoir compris,
Tout ce qui, précieux, réside en vos cœurs de femme
Pour offrir au monde ce sublime supplément d'âme.

Et toi tout d'abord ma mère je te remercie,
De m'avoir tant donné pour affronter la vie,
De t'avoir vue tellement offrir avec ton cœur
Pour que les plus petits puissent goûter au bonheur.

Mes compagnes de vie et mères de mes enfants
Qui m'avez accompagné quel que soit le temps,
Je vous rends grâce pour avoir su bien adoucir
Ce que mes errances nous faisaient parfois souffrir.

Le monde serait sans nul doute bien moins en colère
Si parmi vous, avec une âme autre que guerrière
Et faisant fi d'un pouvoir qui nous déconnecte,
Vous sauriez comme des mères nous sortir de nos sectes.

Ne nous laissez pas dormir, partir ou mourir,
Soyez les maîtresses qui nous permettent de grandir,
Livrez-nous vos secrets qui nous donnent à rêver,
Que dans un tout autre monde on peut bien exister.

Que dans cette sensibilité qui vous est chère,
Je sache me retrouver pour que mon âme soit claire
Que je puisse marcher près de vous avec bonheur
Et sentir cette force qui habite votre cœur.

J'ai plaisir à revendiquer mon féminin,
Pas de sexe, pas de genre, juste un côté humain
Quand aujourd'hui je me sens si proche, adopté,
Je veux rester près de vous ne plus vous quitter.

Il restera fort, un de mes plus grands regrets,
De ne pouvoir donner vie à l'enfant qui naît
Dans ces instants magnifiques où la femme exulte
Transformant toutes ses souffrances en un moment culte.

La beauté ne vous a pas vraiment épargnées
Dans ce monde d'hommes trop virils et décalés,
Hissez-nous près de vous, qu'enfin on comprenne.
Par avance, je vous dis merci, Femmes je vous aime.

Ma belle

Toi mon amour, ma douce, ma tendre, mon éternelle,
Laisse-moi prêter l'oreille au bruissement de tes ailes
Quand elles caresseront l'air, sortant de ton bois,
Pour me prévenir que tu reviens tout à moi.

Je guettais ton retour, toi ma belle hirondelle,
Je le scrutais à le connaître par cœur mon ciel,
De toutes ces étoiles brillantes dans leur plénitude,
Je te savais là, à parfaire ta complétude.

Je t'attendais, n'ayant jamais désespéré,
Même si parfois je me sentais tant oublié,
Tu avais besoin d'expérimenter ta vie
Et ça depuis longtemps, je l'avais bien compris.

À la table de l'absence, tôt tu t'es invitée
Mais ta présence en moi ne m'a jamais quitté.
Laisse-toi être en l'instant, te faisant la cour,
Celle qui enchantera mes matins chaque jour.

Quel bonheur de me savoir enfin contre toi,
Que ma mémoire efface mes temps de désarroi,
Que dans ton corsage je trouve la douceur d'un sein,
Accueillant ma joue pour faire fondre mes vieux chagrins.

Buvons à la santé de ce nouveau cépage,
Que son vin enivrant orne de nouveau les pages,
Du livre de notre histoire écrit à quatre mains,
Nos cœurs bruissant en vers, de doux alexandrins.

Alors tous ces mots résonnant comme de belles notes,
Écrivons-les sur une portée comme antidote,
À l'inquiétude qui naîtrait un petit matin,
Nous laissant perdus avec un drôle de chagrin.

L'univers nous a portés dans nos expériences,
Il nous donne aujourd'hui à jouir en conscience,
De cet amour incommensurable qui nous lie,
Autant d'années qu'un champ de blé a d'épis.

Benoîte

Tu nous as laissés soudainement, sans crier,
Un peu à ton image, dans la sobriété,
Jamais tu es restée devant, juste à côté
Tu as choisi le meilleur pour nous le donner.

En quelques mois, tout près de nous dans notre chœur,
Tu avais su au plus profond toucher nos cœurs
Pour faire vivre notre troupe enchantée, en chantant,
Soufflant ton savoir, nous rendant presque brillant.

Durant ton trop court mais riche passage parmi nous,
Tu t'es imposée comme une évidence, debout
Tu nous as trouvés tellement désemparés
Et as su nous donner des raisons d'espérer.

Étrange Ironie du sort que le thème choisi
Pour notre prochain spectacle et tu n'as rien dit,
Toi qui, touchée dans ton corps, es restée muette,
Donnant à nos propos une tournure désuète.

Mais nous garderons de toi, belle et grande dame,
Ce que tu nous as écrit pour faire chanter nos âmes,
Quand nos voix rendaient grâce à tes douces harmonies,
Te donnant à penser ton travail réussi.

Tu nous as fait voyager sur tes mélodies
Ponctuées de soupires, de pause et de demie,
Écrivant en clé de fa, de sol pour ensuite,
Nous donner à entendre celle de la réussite.

Aujourd'hui ton visage s'est figé pour toujours,
Je ferme les yeux pour encore voir le troubadour,
Qui nous avait cueillis sans trompette ni tambour,
Un soir de fin d'été, sans besoin de discours.

Soyons encore des militants non limitants,
Trouvons en nous toutes les ressources, nous permettant
De faire vibrer nos cœurs et toutes leurs émotions,
Pour qu'ils battent toujours ensemble, au même diapason.

Tu nous laisses orphelins et nos cœurs bien en peine,
Tu t'effaces dans cette simplicité qui est tienne
Puissions-nous ensemble, par nos pensées inspirées,
Éclairer ton chemin vers ton éternité.

Le soleil

Notre vie est semblable à un soleil caché,
Trop de nuages nous empêchent de le voir briller
Et pourtant il nous appartient de prendre de la hauteur
Pour ces nuages passés le découvrir étincelant de bonheur.

Douleur de l'âme

Un corps qui souffre et qui a mal,
Maintes fois exprime la douleur de l'âme.
Il ne nous a pas été donné de prendre soin de nous,
Trop souvent baisser la tête, obéir, voire prendre des coups.
Fermons les yeux pour mieux voir le beau en nous-même
Et sachons humblement nous dire « je m'aime ».

Un grain

Aujourd'hui, j'ai vu un grain de beauté
M'amener un grain de gaieté,
À sa façon mettre son grain de sel,
S'assurer que je n'avais pas un grain
Qui aurait pu être un grain de sable
Ou bien encore un grain de folie
Ou peut-être même un grain orageux
Mais qu'au contraire je veillais au grain
Et que le moment venu, je planterai ce grain.

L'absence

Ton absence est trop bien présente en moi,
Elle y vit, s'incruste mais rien de toi.
Seuls mes rêves et mes pensées
Te permettent en mon cœur d'exister,
M'accordant chaque jour le secret espoir
De pouvoir te cueillir et t'émouvoir.

Un rien

Aimer quelqu'un, ce n'est pas rien,
Même si on pense qu'il ne se passe rien
Même si on a l'impression que rien ne passe,
Il suffit d'un rien pour que tout passe,
De trois fois rien pour que tout trépasse.
Alors accordons-nous ces petits riens,
Aimer quelqu'un, ce n'est pas rien.

Vœux

Des vœux formulés la toute dernière nuit,
Seraient-ils un instant nous mettre à l'abri
De qui nous sommes au plus profond de notre être ?
Mais peu importe ce que nous pouvons paraître,
Quant au fond de nous se cachent ombre et lumière,
Faisons briller celle, qui cachée, serait bonne conseillère,
Laissons-nous toucher quelque peu par la magie
Juste quelques secondes d'éternité quand l'âme agit

Au printemps

J'attends chaque jour le retour de mon hirondelle,
Je guette avec attention le bruissement de ses ailes.
J'ai décidé d'arrêter le temps et cela pour longtemps
Car je sais qu'elle reviendra un jour au printemps.

Valentin

Il n'est pas de jour plus qu'un autre pour clamer son amour.
Je me souviens de cette rose offerte sans tambour,
Qui avait su toucher ton cœur, car peu habitué
À recevoir quelque témoignage, peut-être être aimé.
Tous ces mois passés n'ont en rien altéré et je suis certain,
De nourrir chaque jour cet amour, pour être ton Valentin.

L'amour

L'amour est une salade de fruits exotiques
Si tant est qu'on y joigne la passion.

Table des matières

Imprimé en Allemagne
Achevé d'imprimer en octobre 2022
Dépôt légal : octobre 2022

Pour

Le Lys Bleu Éditions
40, rue du Louvre
75001 Paris